Esta edición en lengua española fue creada a partir del original de Mango Jeunesse por
Uribe y Ferrari Editores, S.A. de C.V.
Av. Reforma No. 7-403 Ciudad Brisa,
Naucalpan, Estado de México,
México, C.P. 53280
Tels. 53 64 56 70 • 53 64 56 95
correo@correodelmaestro.com

ISBN: 970-756-040-1 (Colección)
ISBN: 970-756-242-0 (Las ilusiones ópticas)

© 2007 Uribe y Ferrari Editores, S.A. de C.V.

Traducción: Chantal Pontones en colaboración con Correo del Maestro y Ediciones La Vasija
Adaptación y cuidado de la edición: Correo del Maestro y Ediciones La Vasija

© 2006 Mango Jeunesse. *Les illusions visuelles*
Colección dirigida por Philippe Nessmann
Iconografía: Sidonie Reboul
Maquetación: Estudio Mango

Este libro se terminó de imprimir y encuadernar en Pressur Corporation, S.A.
C. Suiza, R.O.U., en el mes de febrero de 2007. Se imprimieron 3000 ejemplares.

¿Qué es eso?

Las ilusiones ópticas

Textos de Philippe Nessmann
Ilustraciones de Peter Allen

Correo del Maestro • Ediciones La Vasija

Algunas veces nuestros ojos nos engañan. Por ejemplo aquí, si observamos de lejos, parece que las líneas grises se van a juntar, y en realidad son paralelas. Es una ilusión óptica. Pero, ¿cómo funciona? ¿Por qué logra engañarnos? ¿Puedo yo hacer una? Realiza los experimentos que te presenta este libro y estos sorprendentes fenómenos de óptica, ¡ya no serán un secreto para ti!

¿QUÉ ES UNA ILUSIÓN ÓPTICA?

¿Qué ves en esta pintura de Salvador Dalí? ¿Cisnes que se reflejan en el agua o elefantes?

1 Coloca el papel calca sobre la página 24 y copia los dos rostros.

Vas a necesitar:
- **papel calca**
- **un plumón negro**
- **una regla**

2 Con ayuda de la regla, traza una línea abajo y otra arriba para unir los rostros.

Una ilusión diferente
En este dibujo puedes ver el rostro de una mujer joven o el de una mujer mayor. ¿Logras ver ambos?

3 Pinta el espacio entre los dos rostros, sin salirte.

4 ¿Qué ves ahora: dos rostros o un florero?

Si piensas en rostros, ves rostros. Si piensas en un florero, ves un florero. Cuando observas un objeto, tus ojos no son los únicos que funcionan. Las informaciones que recogen son enviadas a tu cerebro. Y es tu cerebro el que dice si desea ver un florero o rostros, elefantes o cisnes. Sin embargo, puede suceder que tu cerebro se equivoque: al mirar ciertas imágenes está seguro de ver cosas que no existen. Son ilusiones ópticas.

En ocasiones, tus ojos pueden ver cosas que no existen. Pero no te preocupes, ¡todo tiene una explicación!

Vas a necesitar:
• una hoja de papel blanco

1 Verifica que la hoja esté perfectamente blanca. Colócala sobre una mesa, al lado izquierdo de tu libro.

Una ilusión diferente
Observa el pájaro durante 30 segundos y después ve la jaula. El pájaro aparecerá... ¡en color verde pálido!

2 Observa fijamente la imagen en blanco y negro de tu libro y cuenta hasta 30.

26-27-28...

3 Enseguida fija tu vista en el centro de la hoja blanca y parpadea varias veces. Aparecerá una imagen...

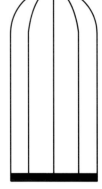

Ves aparecer la cabeza de Chaplin sobre la hoja blanca. ¿De dónde viene? Primero, observaste la imagen blanca sobre negro del libro. Su luz penetró en tus ojos. Al fondo de éstos se encuentra la retina, que es una pantalla formada por miles de pequeños captadores que dicen a tu cerebro lo que ven. El problema es que cuando fijas una imagen por mucho tiempo, estos captadores se cansan. Después, si observas una hoja en blanco, los captadores que han visto blanco por mucho tiempo no lo ven tan bien: ahora ven gris. Ves entonces la imagen del principio, invertida en negro sobre blanco.

¿QUIÉN ES MÁS GRANDE?

En algunas imágenes, las cosas o las personas parecen ser más grandes de lo que son en realidad. El entorno puede jugarnos una broma...

eRmm ...

1 En la foto de la izquierda, ¿qué personaje es más grande?

Vas a necesitar:
• papel calca
• un plumón

Una ilusión diferente
¿Miden lo mismo los dos círculos anaranjados?

2 Coloca el papel calca sobre la foto. Con el plumón, copia el personaje más grande.

Si. En este caso, el tamaño de los círculos rosados nos hacen ver uno de los anaranjados más grande.

3 Mueve el papel calca y colócalo sobre el personaje pequeño. ¿Qué notas?

¡caramba!

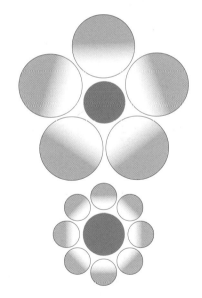

Los dos personajes tienen exactamente la misma medida. La ilusión óptica se debe a las columnas: dan la impresión de profundidad. El personaje de arriba parece estar más lejos que el otro. Nuestro cerebro sabe que entre más lejos se encuentre una persona, más pequeña la vemos. Como nuestros ojos ven el personaje de atrás de igual medida que el de enfrente, nuestro cerebro deduce que en realidad debe tratarse de un gigante. ¡Y es así como lo vemos!

¿CUÁL ES MÁS OSCURO?

A veces nuestro cerebro nos engaña con respecto a los colores. Estamos completamente seguros de ver ciertos colores o matices, ¡y es falso!

1 Sobre la hoja, traza una raya de 2.5 cm de largo. En cada extremo, traza un círculo del tamaño de un confeti.

Vas a necesitar:
- una hoja de papel
- un lápiz
- unas tijeras con punta

2 Recorta los círculos usando las tijeras.

3 Sobre la página de la izquierda de tu libro, ¿qué casilla es más oscura?, ¿la A o la B?

Una ilusión diferente
¿Es igual el rojo en todas las casillas?

Sí, pero las bandas en color azul y amarillo dan la impresión de que hay dos rojos diferentes...

4 Coloca la hoja sobre la imagen, con un agujero sobre la casilla A y el otro sobre la B. ¿Qué gris es más oscuro?

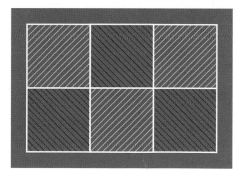

La casilla A se ve mucho más oscura que la B. ¡Pero es falso! Es tu cerebro el que lo cree. Primero, como la casilla B está rodeada de casillas oscuras, tu cerebro piensa que el gris de la B debe ser más bien claro. Además, como la casilla B se encuentra en la sombra del cilindro verde, tu cerebro piensa que, sin esa sombra, la casilla debe ser muy clara. Para tu cerebro, la casilla B es como un blanco un poco oscuro, mientras la casilla A es un negro un poco claro. Si tapas el tablero con la hoja, ¡te darás cuenta que los dos grises son exactamente iguales!

¡TODAS CHUECAS!

En este dibujo, las líneas parecen curvas cuando en realidad son perfectamente rectas. ¡Verifícalo con tu regla!

1 Al centro de la hoja blanca, dibuja un punto negro.

2 Con la ayuda de la regla, traza varias rayas negras que pasen por el punto.

3 Dibuja una línea roja 2 cm arriba del punto y una 2 cm abajo.

4 ¿Parecen rectas las dos líneas rojas? ¡Enséñaselas a tus amigos y juégales una broma!

Vas a necesitar:
- una regla
- una hoja blanca
- un plumón negro y uno rojo

Una ilusión diferente
¿Son paralelas las líneas largas?

¡Sí! Parece que no lo son por las pequeñas rayitas que las cruzan.

Si trazaste suficientes rayas negras que pasan por el punto, las líneas rojas parecen ligeramente curvas. Aquí te damos una explicación a esto: a nuestro cerebro le gustan los ángulos rectos. En tu dibujo, le gustaría que cada intersección entre una línea roja y una negra se formara un ángulo recto. Para lograrlo, el cerebro deforma las líneas rojas y las ve un poco curvas. En cuanto a la ilusión de la página de la izquierda, realizada por Akiyoshi Kitaoka, la disposición particular de las crucecitas coloreadas hace que nuestro cerebro vea curvas.

¡DA VUELTAS!

En ciertas ilusiones ópticas, la imagen
se pone a dar vueltas. ¡Que extraño!

Vas a necesitar:
• este libro

1 Sobre la página de la izquierda, pasa de un punto negro a otro fijando la vista en cada uno durante un segundo.

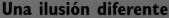

Una ilusión diferente
Observa fijamente el punto blanco. Acerca y aleja la cabeza del libro. ¿Ves los dos círculos dar vueltas?

2 ¿Ves los círculos de colores dar vueltas sobre sí mismos?

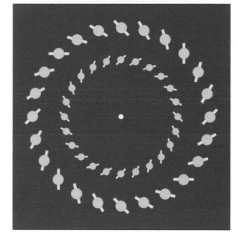

3 Ahora, fija tu vista en un punto negro. ¿Da vueltas el círculo de colores que está a su alrededor?

Al pasar de un punto al otro, ves los círculos dar vueltas. Pero si te quedas viendo fijamente un punto negro, el círculo que está alrededor no gira. Esta ilusión óptica funciona gracias a la visión periférica. ¿Qué es esto? Observa una uña de tu mano. Sin mover los ojos, puedes ver los otros dedos. La uña que ves corresponde a la visión central. Todo lo de alrededor es la visión periférica. Aquí, los círculos de colores sólo dan vuelta cuando los ves de reojo.

¡DOS OJOS!

¿Dónde está la ilusión óptica? Para descubrirla, ¡debes tener dos ojos en perfecto estado!

1 Dobla la hoja de papel en cuatro. Colócala, perpendicularmente al libro, entre la rana y la flor.

Vas a necesitar:
• una hoja blanca
• ¡dos ojos!

2 Coloca tu nariz y tu frente sobre la hoja y mira el dibujo.

Una ilusión diferente

Enrolla una hoja de papel para formar un tubo. Sujétalo con la mano derecha frente a tu ojo derecho, con los dos ojos abiertos. Lentamente, acerca tu mano izquierda al tubo. ¡Verás un hoyo en tu mano izquierda!

3 No muevas los ojos y espera unos 30 segundos. ¿Ves moverse la rana y la flor?

27.. 28 29.. 30!!

Tendrías que ver la rana acercarse a la flor. Esta ilusión óptica se debe a que tienes dos ojos. Comúnmente, cuando ves un objeto, tus dos ojos ven el mismo objeto. Se acomodan entonces para verlo con claridad. En este experimento, tu ojo izquierdo ve la flor y el derecho la rana. Poco a poco, empiezas a bizquear y los ves acercarse el uno al otro.

TODO EN 3D

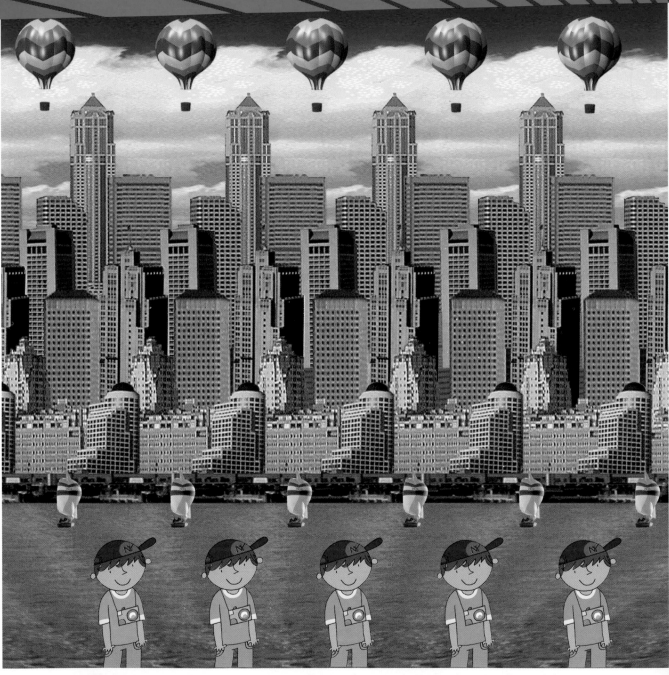

¿Qué ves aquí? ¡La imagen plana de una ciudad estadounidense al borde del agua? Sí, pero con un poco de práctica podrás darle relieve a este "autoestereograma".

1 Mira derecho frente a ti y coloca la foto frente a tu nariz, sin mover los ojos.

Vas a necesitar:
- **tu libro**
- **¡un poco de paciencia!**

2 Aleja despacio, muy despacio, el libro de tu nariz. No bizquees, no trates de ver la imagen con claridad; al contrario, deja tu mirada en el vacío.

¿No funciona?
A pesar de sus esfuerzos, algunas personas jamás logran ver los "autoestereogramas". Si es tu caso, no te sientas decepcionado y ¡aprovecha las otras ilusiones ópticas!

3 Poco a poco, debes ver la imagen en relieve. Si no la ves, vuelve a empezar, aleja el libro más despacio.

Con un poco de suerte, verás una ciudad en ¡tres dimensiones! Vemos el mundo en relieve porque tenemos dos ojos, y cada uno ve una imagen un poco diferente. Como prueba, coloca un dado frente a tu nariz, cierra un ojo, luego el otro, luego el primero… ¿Logras ver un ligero desfase entre las dos imágenes? Con los dos ojos abiertos, tu cerebro mezcla las dos imágenes y restablece una imagen en relieve. Para la foto de la ciudad, es lo mismo: de hecho se trata de una mezcla de imágenes desfasadas. Si logras no hacer bizco, tu ojo derecho verá una imagen, el izquierdo verá una imagen diferente y tu cerebro restablecerá el relieve.

A primera vista, nada se ve anormal en este dibujo de Maurits Escher. Pero sigue bien a los muñecos sobre la escalera. Algunos suben, suben, suben y se encuentran ¡otra vez en el punto de salida! ¿Cómo es posible?

1 Fotocopia la página 25 de tu libro. Corta la tira siguiendo las líneas.

Vas a necesitar:
- **tijeras**
- **una fotocopia**
- **unos cubos de azúcar**

2 Dobla sobre las líneas punteadas, empezando por la casilla con el círculo, para formar una escalera que sube.

Una ilusión diferente
Según tú, ¿cuántas extremidades tiene este objeto imaginario: dos o tres? Depende si miras a la izquierda o a la derecha...

3 Con los cubos de azúcar, forma unos pilares para sostener la escalera.

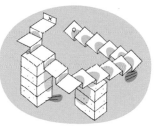

4 Cierra un ojo. Mira la escalera desde arriba para ver cómo la casilla con la cruz toca la que tiene el círculo. ¡Verás la escalera sin fin del dibujo! Le puedes pedir ayuda a un adulto.

Al ver la escalera de papel del lado correcto, tienes la impresión de que ¡sube sin fin! Es una ilusión óptica porque, al abrir bien los dos ojos, te das cuenta de que el último escalón no se une al primero. Al dibujar esta escalera engañosa, rodeándola de edificios bien elegidos, deformando ligeramente el conjunto para obtener una buena perspectiva, el artista gráfico Escher obtuvo una casa tan impresionante como imposible de construir...

Y si...
las ilusiones existieran fuera de los libros...

Termina la clase.

— Oye Bruno —exclama su amiga Matilde—, ayer leí un libro sobre ilusiones ópticas, ¡es verdaderamente increíble!

— Sí, ¡es extraordinario! Pero, ¿sabías que no sólo existen en los libros?

— Ah, ¿sí? ¿Y en dónde más?

Bruno toma un lápiz por un extremo, sin sostenerlo firmemente, y agita su mano suavemente.

— Al hacer esto, parece que el lápiz se tuerce. Vamos, ¡inténtalo!

Matilde hace la prueba:

— Sí, ¡qué cómico!, ¡parece ser blando!

Camino a casa, los niños se paran frente a un café.

— ¡Mira bien ese embaldosado!

— No parece estar derecho —se sorprende Matilde...

— Y sin embargo todas las baldosas son cuadradas, ¡puedes verificarlo!

— En los desiertos también suceden ilusiones ópticas —continúa Bruno—. A causa del calor, puedes ves un oasis muy cerca de ti cuando en realidad está muy lejos.
— ¡Nada agradable cuando se tiene sed!
— Es un espejismo.
— Sí, ya lo sé, ¡tampoco soy tan tonta!

Los niños se paran frente a una tienda de sombreros.
— ¿Ves ese sombrero? —pregunta Bruno—. Según tú, ¿es más alto o más ancho?
— ¡Es evidente que es más alto!
— Pues no, es tan alto como ancho. Las líneas verticales parecen siempre más largas que las horizontales.

Matilde reflexiona:
— Eso ya lo sabía, ¡mi mamá no para de repetirlo!
— ¿Ah, sí? —pregunta Bruno.
— Sí, ella siempre compra vestidos con rayas verticales. Dice que la hacen ver más delgada. ¡Ahora sé lo que es una ilusión óptica!

Para calcar
Experimento p. 5

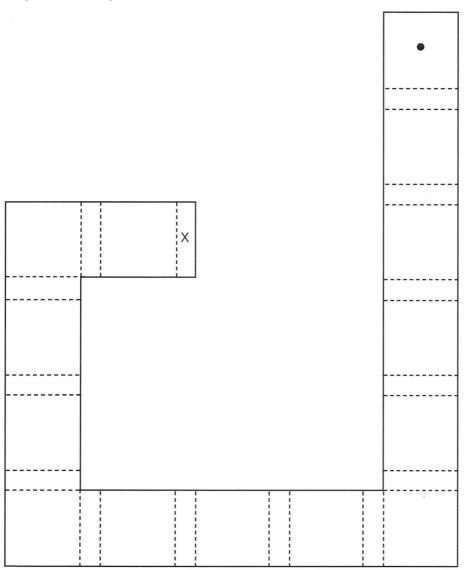

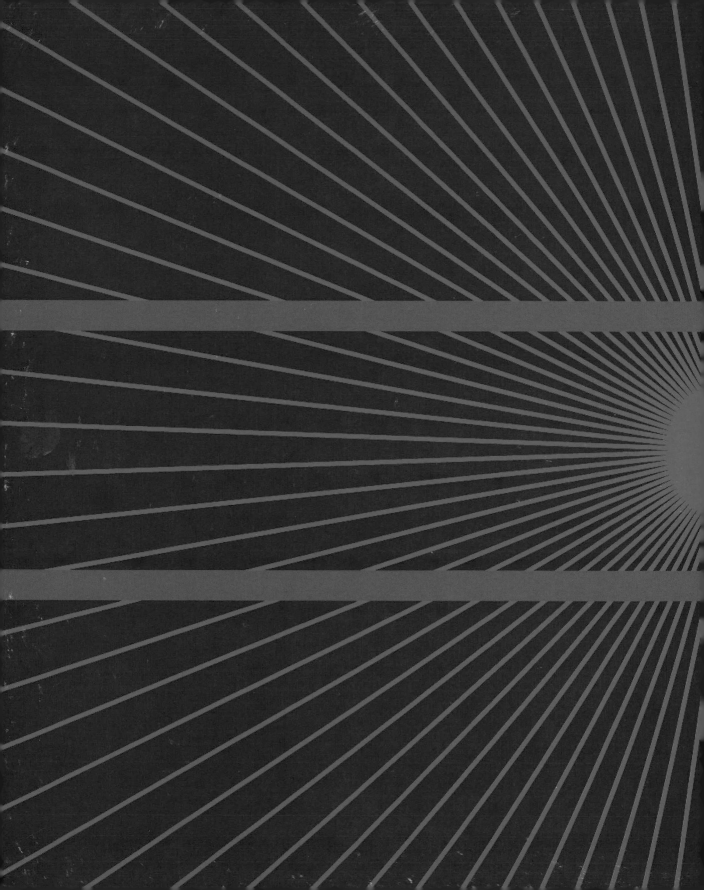